Download Your F

Download your bonus free MP3 audiobook read in English by the author at:

badgerlearning.co.uk/free-audio-downloads

Password: **ADAaudio**

Each book includes a school site license for the related download. This means you can share the files with your colleagues & students within your school only. **Please do not share elsewhere.** You are permitted to share these files with students who are home learning, however the files must not be hosted on a publicly accessible site. Unfortunately we are unable to assist with compatibility queries, please check that your intended devices and/or systems can open MP3s before downloading.

Badger Publishing Limited
Oldmedow Road,
Hardwick Industrial Estate,
King's Lynn PE30 4JJ
Telephone: 01553 816 083
www.badgerlearning.co.uk

2 4 6 8 10 9 7 5 3 1

World Cup Chaos ISBN: 978-1-78837-808-6

Editor: Claire Morgan
Translation: Yana Surkova
Design: Adam Wilmott
Illustration: Anthony Williams
Cover design: Adam Wilmott

World Cup Chaos
Жахливий Чемпіонат світу

Contents

Vocabulary and useful phrases
Book introduction
Chapter 1: Goal!
Chapter 2: Seeing is believing
Chapter 3: Dumb waiter
Chapter 4: Lost
Chapter 5: An early bath

Зміст

Лексика та корисні фрази
Вступ
Глава 1: Гол!
Глава 2: Побачити - значить повірити
Глава 3: Офіціант-недотепа
Глава 4: Загублені
Глава 5: Раннє купання

Vocabulary and useful phrases

infant school = school for children between ages four and seven

scoring for fun = can score without even trying

couldn't beat a drum = couldn't even win an easy game

x-ray specs = special glasses Wanda uses to spot hidden shapeshifting aliens

game's up = a nasty plan has been discovered

hang up your boots = to retire from a sport

met your match = to meet someone equal to you in strength or ability

daft = silly

Hotshot = a name for someone who is very skilled at something

an early bath = when a player is told to leave a game early because they have done something wrong

"He didn't think it was all over — but it is now." = a reference to a famous phrase said at the end of the 1966 World Cup final

Лексика та корисні фрази

infant school = школа для дітей віком від чотирьох до семи років

scoring for fun = могти забити, навіть не намагаючись

couldn't beat a drum = не могти виграти навіть легку гру

x-ray specs = спеціальні окуляри, які Ванда використовує, щоб помітити прихованих прибульців-перевертнів

game's up = підступний план розкрито

hang up your boots = завершити спортивну кар'єру

met your match = зустріти когось, рівного вам за силою чи здібностями

daft = дурний

Hotshot = назва того, хто дуже вправний у чомусь

an early bath = коли гравцеві кажуть покинути гру раніше, тому що він зробив щось не так

"He didn't think it was all over — but it is now." = посилання на відому фразу, сказану наприкінці фіналу Чемпіонату світу 1966 року.

Book introduction

Jack is an actor who plays an alien detective on a TV show called Sci-Fi Spy Guy.

Wanda is the Galactic Union's Alien Welfare Officer for Earth (an ACTUAL alien detective).

Together, Jack and Wanda are a team called the **Alien Detective Agency**.

STEALTH is the name of Jack's time travelling starship, which stand for **S**pace **T**ripping **E**xtra **A**tomic **L**aser **T**ime **H**opper. It can think and talk for itself, but only Jack and Wanda know this.

In this adventure, Jack and Wanda expose a team of aliens that have taken the place of the England football team.

Вступ до книги

Джек - актор, який грає інопланетного детектива в телевізійному шоу під назвою “Науково-фантастичний шпигун”.

Ванда - офіцер Галактичного союзу з питань добробуту інопланетян на Землі (СПРАВЖНІЙ інопланетний детектив).

Разом Джек і Ванда - це команда під назвою «**Інопланетне детективне агентство**».

СТЕЛС - це назва мандрівного в часі космічного корабля Джека, що означає «Космічний мегаатомний лазерний стрибун у часі». Він може думати і говорити, але про це знають тільки Джек і Ванда.

У цій пригоді Джек і Ванда викривають команду інопланетян, які зайняли місце футбольної збірної Англії.

Chapter 1
Goal!

Jack stared at the big plasma HD TV screen. Then he jumped up. He punched the air and yelled with delight.

He bounced round the office of the Alien Detective Agency like a kangaroo with a trampoline on each foot.

He landed with a thump in Wanda's lap.

Wanda groaned and pushed him off.

"Oh, calm down," she said. "It's only a football match."

"No, it's not," said Jack. "It's a World Cup 'must win' game for England. We are playing Brazil — and we've just scored!"

Wanda raised her eyebrows.

"Really?" she said. "But the team is hopeless. They never score. When they did a training session in an infant school, the infants won three–nil!"

"I know," said Jack. "But now we are scoring for fun."

"I don't like it," said Wanda.

Розділ 1
Гол!

Джек втупився у великий плазмовий екран HD-телевізора. Потім він схопився. Він ударив кулаком по повітрю і закричав від захвату.

Він підстрибував офісом "Інопланетного детективного агентства", як кенгуру на батуті.

Він з глухим стукотом приземлився Ванді на коліна.

Ванда застогнала і відштовхнула його.

"О, заспокойся", - сказала вона. "Це всього лише футбольний матч".

"Ні, це не так", - сказав Джек. "Це матч Чемпіонату світу, на якому Англія має виграти. Ми граємо з Бразилією - і ми щойно забили!"

Ванда підняла брови.

"Справді?" - сказала вона. "Але команда безнадійна. Вони ніколи не забивають. Коли вони проводили тренування в дитячому садку, немовлята виграли з рахунком три-нуль!"

"Я знаю", - сказав Джек. "Але зараз ми забиваємо заради розваги".

"Мені це не подобається", - сказала Ванда.

"I do," said Jack. "I think we can win the World Cup if we keep on playing like this."

"That's what I mean," replied Wanda. "Something's wrong with this team."

Jack shook his head. "No, Wanda. Something's right with this team. That's why we're winning." He grinned at her. "You really don't know much about football, do you?"

"Why?" snapped Wanda. "Because I'm a girl?"

"No," said Jack. "Because you're an alien. Aliens don't play football."

"The Kikits of Planet Bakadanet do," said Wanda. "They're the best team in the universe."

"So, how come nobody on Earth has heard of them?" asked Jack.

"Because it's my job to stop people finding out that aliens are real," replied Wanda. "And I'm as good at my job as the Kikits are at football."

But Jack wasn't listening. He was too busy leaping up in the air. England had scored another fantastic goal!

“А мені подобається”, - сказав Джек. “Я думаю, що ми зможемо виграти Чемпіонат світу, якщо продовжуватимемо грати в тому ж дусі».

“І я про це”, - відповіла Ванда. “Щось не так з цією командою”.

Джек похитав головою. “Ні, Вандо. Все чудово. Тому ми і перемагаємо”. Він усміхнувся їй. “Ти справді не дуже добре знаєшся на футболі, чи не так?”

“Чому?” - огризнулася Ванда. “Тому що я дівчина?”

“Ні”, - сказав Джек. “Тому що ти прибулець. А прибульці не грають у футбол”.

“Кікіти з планети Бакаданет грають”, - сказала Ванда. “Вони найкраща команда у всесвіті”.

“А чому ж тоді ніхто на Землі про них не чув?” - запитав Джек.

“Тому що моя робота - не допустити, щоб люди дізналися, що інопланетяни існують”, - відповіла Ванда. “І я так само добре виконую свою роботу, як Кікіти грають у футбол”.

Але Джек не слухав. Він був надто зайнятий, підстрибуючи вгору. Англія забила ще один фантастичний гол!

Chapter 2

Seeing is believing

The ref blew his whistle. The match was over. England had won ten–nil!

Jack danced around the room singing "Weeee are the champions..."

"Stop that!" snapped Wanda.

"Why?" asked Jack.

"Because you can't sing," said Wanda. "And because England aren't the champions."

"Not yet," replied Jack. "But we soon will be."

"No, you won't," said Wanda.

"Why not?" said Jack. "If... If we keep on playing like that, no team in the universe can beat us."

"Exactly," said Wanda. "So that means the team up on the screen can't be the England team. The England team couldn't beat a drum!"

Jack glared at her. "But I've just watched them win."

Розділ 2
Побачити - значить повірити

Суддя дав свисток. Матч закінчився. Англія виграла десять-нуль!

Джек танцював по кімнаті, співаючи “Weeee are the champions...”

“Припини!” - огризнулася Ванда.

“Чому?” - запитав Джек.

“Тому що ти не вмієш співати”, - відповіла Ванда. “І тому, що Англія не чемпіон”.

“Поки що ні”, - відповів Джек. “Але скоро стане”.

“Ні, не стане”, - сказала Ванда.

“Чому ні?” - сказав Джек. “Якщо... Якщо ми продовжуватимемо так грати, жодна команда у всесвіті не зможе нас перемогти”.

“Саме так”, - сказала Ванда. “Це означає, що команда на екрані не може бути збірною Англії. Збірна Англії не змогла виграти навіть легку гру!”

Джек подивився на неї. “Але я щойно бачив, як вони перемогли”.

Wanda shook her head. “No, you didn’t. You saw a team of Kikits win.”

Jack laughed. “You need to get your laser contact lenses fixed, Wanda. That’s the England team all right. Everybody knows what the England players look like. After all, they are almost as famous as me.”

Wanda didn’t reply. She threw Jack a pair of glasses.

“Hey,” said Jack. “You’re the one who needs glasses — not me.”

“They are X-ray specs,” said Wanda. “Put them on and look at the players again.”

Jack did as he was told. He peered through the specs and his mouth fell open. “Hey, who are those guys?” he asked. “They’re not the England players. They have extra feet and long, curly toes.”

Wanda nodded. “I told you so,” she said. “They are Kikits from the planet Bakadanet.”

Ванда похитала головою. “Ні, не бачив. Ти бачив, як перемогла команда Кікітів”.

Джек розсміявся. “Тобі потрібно полагодити свої лазерні контактні лінзи, Вандо. Це збірна Англії. Всі знають, як виглядають гравці збірної Англії. Зрештою, вони майже такі ж відомі, як і я”.

Ванда не відповіла. Вона кинула Джеку окуляри.

“Гей”, - сказав Джек. “Це тобі потрібні окуляри, а не мені”.

“Це рентгенівські окуляри”, - сказала Ванда. “Одягни їх і подивися на гравців ще раз”.

Джек зробив так, як йому було сказано. Він подивився крізь окуляри, і відкрив рот. “Гей, хто ці хлопці?” - запитав він. “Це не гравці збірної Англії. У них додаткові ноги і довгі кучеряві пальці на ногах”.

Ванда кивнула. “Я ж тобі казала”, - сказала вона. “Це Кікіти з планети Бакаданет”.

Jack took off the X-ray specs and stared at the screen. "Now they look like the England team again." He scratched his head. "How do they do that?"

"Kikits are not only brilliant footballers," said Wanda. "They are also shape shifters!"

"OK," said Jack. "But if that is a team of shape shifting Kikits, where is the real England team?"

"That's what we are going to find out," said Wanda.

Джек зняв рентгенівські окуляри і втупився в екран. “Тепер вони знову схожі на збірну Англії”. Він почухав голову. “Як їм це вдається?”

“Кікіти не тільки блискучі футболісти”, - сказала Ванда. “Вони ще й перевертні!”

“Добре”, - сказав Джек. “Але якщо це команда Кікітів-перевертнів, то де справжня збірна Англії?”

“Це ми і збираємося з’ясувати”, - сказала Ванда.

Chapter 3
Dumb waiter

Jack and Wanda were standing outside a posh hotel. "This is where the England team is staying," said Jack.

"So let's sneak inside and see if we can find them," said Wanda.

Jack shook his head. "I can't sneak in," he said. "I'm a big TV star. Everyone will recognise me."

"No, they won't," replied Wanda. "You're wearing a tuxedo so everyone will think you are a waiter."

Jack scowled. "No they won't," he said.

Just then the manager of the hotel came out. "Hey, waiter," he yelled. "Your break's over. The England team is hungry. I need you and the maid to go and see what they want to eat."

"Told you!" said Wanda.

Then she looked around to see where the maid was.

Jack dug her in the ribs with his elbow. "He means you, Wanda the Waitress," he whispered. "Come on, this is our big chance."

Jack and Wanda hurried into the hotel.

Розділ 3
Офіціант-недотепа

Джек і Ванда стояли біля шикарного готелю. “Тут зупинилась збірна Англії”, - сказав Джек.

“Тоді давай проберемося всередину і подивимось, чи зможемо ми їх знайти”, - сказала Ванда.

Джек похитав головою. “Я не можу пробиратися всередину”, - сказав він. “Я велика телезірка. Мене всі впізнають”.

“Ні, не впізнають”, - відповіла Ванда. “На тобі смокінг, тому всі подумають, що ти офіціант”.

Джек насупився. “Ні, не подумають”, - сказав він.

У цей момент вийшов менеджер готелю. «Гей, офіціанте», - крикнув він. “Твоя перерва закінчилася. Збірна Англії голодна. Мені потрібно, щоб ви з покоївкою пішли і дізналися, що вони хочуть їсти”.

“Я ж тобі казала!” - сказала Ванда.

Потім вона озирнулася, щоб побачити, де покоївка.

Джек тицьнув її ліктем в ребра. “Він має на увазі тебе, Вандо-офіціантко”, - прошепотів він. “Ходімо, це наш великий шанс”.

Джек і Ванда поспішили до готелю.

“The team is in the penthouse,” said the manager. “So, up you go.”

Jack and Wanda took the lift to the top floor. They stood outside the penthouse.

Jack put his ear to the door.

“What are they saying?” whispered Wanda.

“They’re talking about how they are going to win the World Cup,” said a voice.

“Hey, Jack,” said Wanda, “You said that without moving your lips!”

Jack gulped. “That’s because I didn’t say it.”

“No,” said the voice. “I did.”

Jack and Wanda spun round and saw the hotel manager standing behind them!

Suddenly he morphed into a large and very scary alien Kikit.

“Команда знаходиться в пентхаусі”, - сказав менеджер. “Тож, піднімайтеся”.

Джек і Ванда піднялися на ліфті на верхній поверх. Вони стояли біля дверей пентхауса.

Джек приклав вухо до дверей.

“Що вони говорять?” - прошепотіла Ванда.

“Вони говорять про те, як вони збираються перемогти на Чемпіонаті Світу”, - відповів голос.

“Гей, Джеку, - сказала Ванда, - ти сказав це, не ворухнувши губами!”

Джек ковтнув. “Це тому, що я цього не говорив”.

“Ні”, - сказав голос. “Це сказав я”.

Джек і Ванда обернулися і побачили, що за ними стоїть менеджер готелю!

Раптом він перетворився на великого і дуже страшного інопланетянина Кікіта.

He gave a gurgling laugh. “Hehehehehehehe. Hello, Spy Guy,” he said.

“I’m Foul, the manager of the Kikit team. I knew you were onto us when I looked out of the penthouse window and saw you talking to the maid. But did you really think you could fool us by pretending to be a waiter?”

“I’m not a... OUCH!!” said Wanda.

She glared at Jack who had just stepped onto her foot.

Before she could say anything else, the penthouse door opened. Foul pushed them into the room.

The Kikit team stared at them. It was then Jack and Wanda noticed that all the players’ feet had very sharp claws!

Він булькочучи засміявся. “Хе-хе-хе-хе. Привіт, шпигуне”, - сказав він.

“Я Фол, менеджер команди Кікіт. Я знав, що ти нас вистежив, коли виглянув з вікна пентхауса і побачив, як ти розмовляєш з покоївкою. Але невже ти справді думав, що зможеш обдурити нас, прикинувшись офіціантом?”

“Я не… ОЙ!!” - сказала Ванда.

Вона подивилася на Джека, який щойно наступив їй на ногу.

Перш ніж вона встигла сказати щось ще, двері пентхауса відчинилися. Фол штовхнув їх у кімнату.

Команда Кікітів витріщилася на них. І тут Джек і Ванда помітили, що у всіх гравців на ногах дуже гострі пазурі!

Chapter 4
Lost

“Look everyone, it’s Sci-Fi Spy Guy,” said Foul. “He’s here to stop us winning the World Cup and taking it back to Planet Bakadanet.”

Jack nodded. “That’s right,” he said. “The game’s up. It’s time to hang up your boots.”

The Kikits all made a nasty hissing sound.

“Forget it,” said Foul. “You’ve met your match in us. We never lose, so there’s nothing you can do to stop us.”

“That’s what you think,” said Jack.

He tried to look as if he had a plan B. But he didn’t even have a plan A.

Suddenly, a loud banging noise came from one of the penthouse’s large ‘walk-in’ wardrobes.

It made Jack jump! Then he heard muffled cries for help.

He glared at the Kikits. “Did you put the England team in that wardrobe?” he asked.

“No,” said Foul. “They walked in to hang up their designer kit and got lost.”

He grinned spitefully. “That lot are so clueless they couldn’t find their way out of a paper bag.”

Розділ 4
Загублені

“Дивіться всі, це науково-фантастичний шпигун”, - сказав Фол. “Він тут, щоб завадити нам перемогти Кубок Світу і повернути його на планету Бакаданет”.

Джек кивнув. “Правильно”, - сказав він. “Гра закінчилася. Час вішати чоботи на цвяхи”.

Кікіти видали неприємний шиплячий звук.

“Забудь про це”, - сказав Фол. “Ми з тобою рівні. Ми ніколи не програємо, тому ти нічого не зможеш зробити, щоб зупинити нас”.

“Це ти так думаєш”, - відповів Джек.

Він намагався виглядати так, ніби у нього є план Б. Але у нього не було навіть плану А.

Раптом з однієї з великих гардеробних пентхауса почувся гучний стукіт.

Це змусило Джека підстрибнути! Потім він почув приглушені крики про допомогу.

Він подивився на Кікітів. “Ви закрили збірну Англії в тій гардеробній?” - запитав він.

“Ні”, - відповів Фол. “Вони зайшли, щоб повісити свої дизайнерські комплекти, і заблукали”.

Він злорадно посміхнувся. “Вони настільки нерозумні, що не змогли знайти вихід з паперового пакета”.

“But they didn’t lock themselves in did they?” said Jack. “They may be hopeless but they’re not that daft.”

Foul smiled. It was not a pretty sight.

“OK,” he said. “I admit it. I did turn the key in the lock.”

“Well, you can unlock it,” snapped Jack, “and let them out.”

“Oh, I’ll unlock it,” replied Foul. “But only because you are going to join them in the wardrobe! You see, Sci-Fi Spy Guy, you’re going to be inside — not offside... hehehehehe!”

“Але ж вони не зачинилися там, чи не так?” - сказав Джек. “Вони можуть бути безнадійними, але не настільки дурними”.

Фол посміхнувся. Це було не дуже приємне видовище.

“Добре”, - сказав він. “Я визнаю, це я повернув ключ у замку”.

“Тоді ти можеш розімкнути його, - огризнувся Джек, - і випустити їх”.

“О, я відкрию”, - відповів Фол. “Але тільки тому, що ти збираєшся приєднатися до них! Бачиш, науково-фантастичний шпигунчику, ти будеш всередині, а не зовні... хе-хе-хе!”

Chapter 5
An early bath

The Kikits were so busy with Jack that they forgot about Wanda.

They thought she was a maid, not a famous action hero. This was a big mistake.

When Foul unlocked the walk-in wardrobe door, Wanda pulled out her laser.

“OK, claws in the air!” she yelled. “You aliens are all under arrest.”

The Kikit team froze. But Foul turned and dashed off.

“Stop him, Jack,” said Wanda. “I’ve got these guys covered.”

“OK,” said Jack. “Um... but how?”

The England players stumbled out of the wardrobe. Their star striker had a football in his hand. This gave Jack an idea.

“Hey, Hotshot, pass that ball to me,” shouted Jack. “Now!”

The ball came flying over and Jack did a back flip and a bicycle kick.

The ball left his foot like a leather arrow. It whizzed through the air and smacked Foul on the back.

Розділ 5
Раннє купання

Кікіти були настільки зайняті Джеком, що забули про Ванду.

Вони думали, що вона покоївка, а не відома героїня бойовиків. Це було великою помилкою.

Коли Фол відчинив двері гардеробної, Ванда дістала свій лазер.

“Гаразд, кігті в повітря!” - крикнула вона. “Всі прибульці заарештовані”.

Команда Кікітів завмерла. Але Фол розвернувся і кинувся втікати.

“Зупини його, Джеку”, - сказала Ванда. “Я прикрию цих хлопців”.

“Гаразд”, - сказав Джек. “Хм... але як?”

Гравці збірної Англії вибралися з гардеробної. Їхній зірковий нападник тримав у руці футбольний м’яч. Це дало Джеку ідею.

“Гей, Хотшоте, передай м’яч мені”, - крикнув Джек. “Негайно!”

М’яч перелетів, і Джек зробив сальто назад і удар ногою.

М’яч вилетів з-під його ноги, як шкіряна стріла. Він просвистів у повітрі і вдарив Фола по спині.

The alien tumbled and fell head-first into the penthouse's huge jacuzzi.

"Wow!" said Jack. "I really sent him for an early bath."

"That's right," said Wanda. "He didn't think it was all over – but it is now."

"But what are we going to do with the Kikits?" asked Jack.

"No problem," said Wanda. "I'll give them all a red card and send them off back home to Bakadanet."

"Great idea," said Jack. "Now I'll give Hotshot his ball back. After all, England have still got a World Cup to win!"

Прибулець перекинувся і впав головою вниз у величезну джакузі пентхауса.

“Ого!” - сказав Джек. “Я дійсно відправив його на раннє купання”.

“Правильно”, - сказала Ванда. “Він не думав, що все закінчиться - але тепер все позаду”.

“Але що ми будемо робити з Кікітами?” - запитав Джек.

“Не проблема”, - відповіла Ванда. “Я дам їм усім червону картку і відправлю додому в Бакаданет”.

“Чудова ідея”, - сказав Джек. “Тоді я поверну Хотшоту його м’яч. Зрештою, Англії ще треба перемогти на Чемпіонаті Світу!”